Stori Idwal y Goeden Gelwydd Golau

Mae'r llyfr hwn yn eiddo i:

Enw...

GAN CAROL BARRATT
DARLUNIWYD GAN WENDY HOILE, ADDASWYD GAN MERERID HOPWOOD

Meddyliau Carol

DIOLCH YN FAWR i
SALLY KNIGHT a LORNA a JOHNNY FRANCIS.
Heb gymorth ac anogaeth y tri ffrind yma, fyddai'r llyfr hwn byth wedi cael ei ysgrifennu.

DIOLCH YN FAWR i'r holl anifeiliaid a'r adar sy'n ymweld yn rheolaidd â'm hen felin yn Ne Cymru. Hebddyn NHW, fyddai'r llyfr hwn byth wedi cael ei ysgrifennu!

Mewn hen felin fawr yn ddwfn yng nghefn gwlad Cymru, mae merch fach o'r enw Astrid May yn aros ar ei gwyliau gyda Tad-cu a Mam-gu. Mae hi'n dwlu ar glywed straeon Mam-gu, straeon am anifeiliaid ac adar a choed. Ond y straeon gorau i gyd yw'r straeon am Idwal. Idwal yw'r goeden dalaf yn y byd.

Mae straeon Mam-gu yn llawn hud a lledrith, oherwydd, yn union fel Idwal, a ddechreuodd yn hedyn bach, bach, ac a dyfodd yn goeden dal, dal, mae straeon Mam-gu yn ymestyn *bob tro* mae hi'n eu dweud nhw, ac yn tyfu a thyfu a thyfu.

Un diwrnod, dechreuodd Astrid May boeni y bydden nhw'n tyfu mor fawr nes y byddai hi'n amhosib eu ffitio mewn llyfr. Felly gofynnodd Astrid May i Mam-gu ysgrifennu'r straeon mewn llyfr bach ar frys.

A dyma fe.

A nawr, mae Astrid May yn rhoi'r llyfr hwn yn anrheg i ti.

Hen goeden helygen glec yw **Idwal**. Pan ddaw min hwyr, cyn iddi nosi go iawn, mae'n galw'r anifeiliaid bach i gyd i ymgasglu wrth y gwreiddiau i gael clywed stori. Mae rhai o'r straeon yn wir bob gair, ac mae rhai eraill wedi ymestyn ac ymestyn ac ymestyn nes ei bod hi'n anodd gwybod yn union pa ddarnau sy'n wir a pha rai sy'n llawn celwydd golau. Dim ond ambell un doeth fel y Derwydd Dylluan sy'n deall y gwahaniaeth.

Gofynnodd **Astrid May** i Mam-gu: 'Pam maen nhw'n galw Idwal yn Helygen Glec?'

Ateodd **Mam-gu**: 'Wel, ti'n gweld, o dro i dro, mae brigau Idwal, a'i ganghennau hyd yn oed, yn torri ac yn disgyn i'r llawr ac yn dweud 'clec'!

Yna, gofynnodd **Astrid May** i Mam-gu: 'Beth yw stori gelwydd-golau?

Atebodd ei **Mam-gu**: 'Wel, ti'n gweld, stori yw honno sydd wedi'i hymestyn ac ymestyn, ac weithiau mae hi'n bell iawn o'r gwir lle dechreuodd hi. Cofia di, weithiau mae ambell beth yn *swnio*'n gelwydd golau, ond maen nhw'n **wir** bob gair.

1
UN MIN HWYR

Dwedodd **Idwal**: ‘Oeddech chi’n gwybod bod cricedwyr gorau’r byd yn defnyddio pren fy nghoeden i wneud batiau criced gwych?!’
Mae Idwal, cofiwch chi, yn goeden falch iawn.

Meddai’r **tair cwningen fechan**:
‘WWWWW Idwal! Ti a dy gelwydd golau.’

Ond mae **Derwydd Dylluan** yn dweud 'A dweud y gwir, mae Idwal yn iawn. *Maen* nhw'n defnyddio pren yr helygen glec i wneud batiau criced.'

2
UN MIN HWYR

Dwedodd **Idwal** wrth fochyn daear oedd yn digwydd mynd heibio: 'Hei, fochyn daear, oeddet ti'n gwybod bod cŵn yn tynnu'u bysedd oddi ar eu pawennau bob haf ac yn cael rhai newydd?'

Dwedodd y **mochyn daear**: 'Wyt ti'n siŵr, Idwal? Beth sy'n digwydd i'r hen rai?'

Ac meddai'r **tair cwningen fechan**: 'WWWWW Idwal! Ti a dy gelwydd golau.'

Ac meddai **Derwydd Dylluan**:
'Celwydd bob gair! Enw blodyn yw *bysedd y cŵn* … falle bod y petalau'n debyg i fysedd ond 'dyn nhw ddim yn fysedd go iawn! Dim bysedd cŵn na bysedd pobl!'

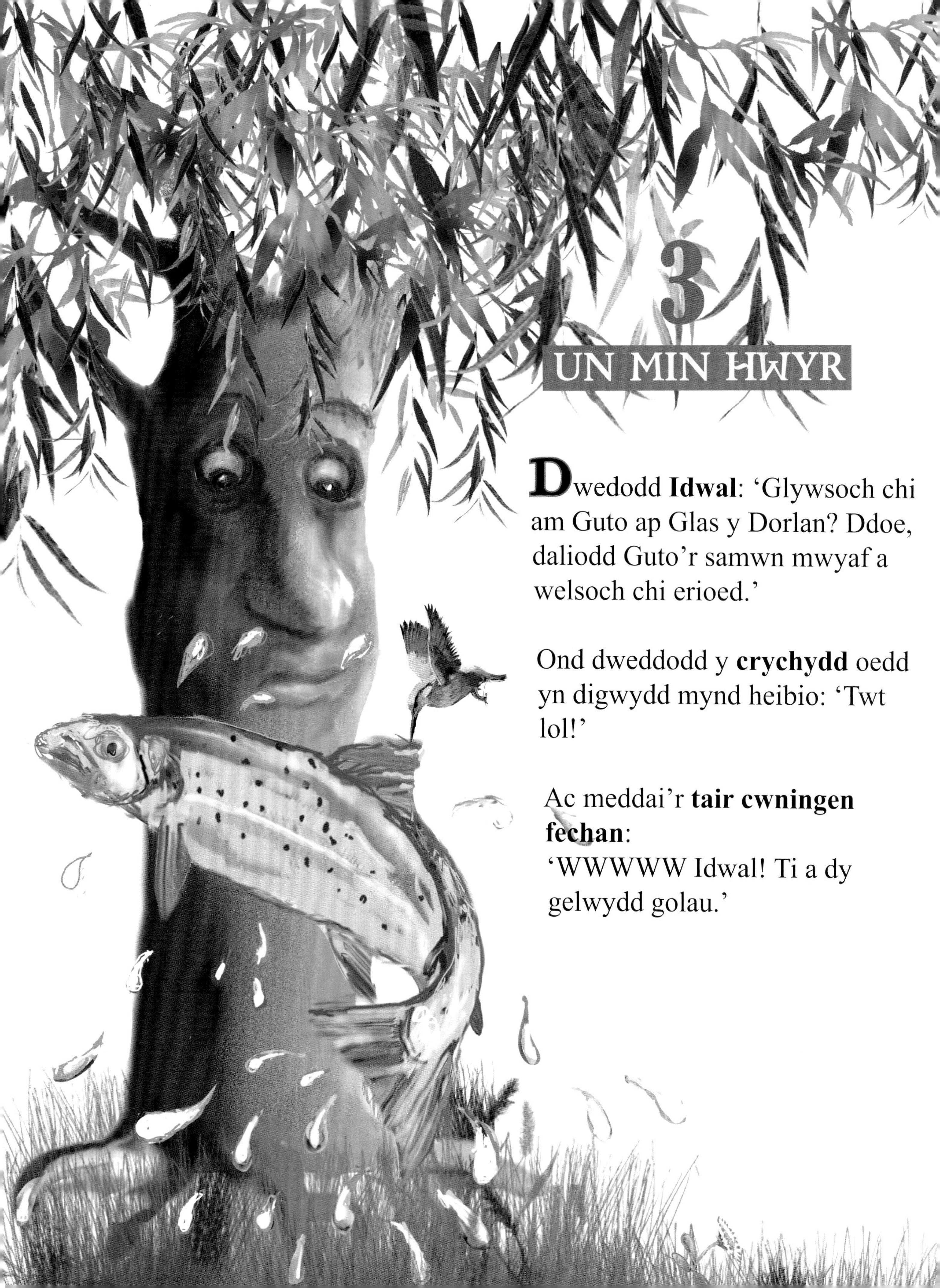

3
UN MIN HWYR

Dwedodd **Idwal**: 'Glywsoch chi am Guto ap Glas y Dorlan? Ddoe, daliodd Guto'r samwn mwyaf a welsoch chi erioed.'

Ond dweddodd y **crychydd** oedd yn digwydd mynd heibio: 'Twt lol!'

Ac meddai'r **tair cwningen fechan**:
'WWWWW Idwal! Ti a dy gelwydd golau.'

Ac meddai **Derwydd Dylluan**: ‘Celwydd bob gair! Rwyt ti’n ymestyn eto Idwal! Hen silidon bach, bach oedd e! Twt, twt! Guto ap Glas y Dorlan yn dal samwn, wir!’

A chododd y tair cwningen eu llygaid i weld y crychydd yn hedfan uwch ben.

4
UN MIN HWYR

Roedd **Idwal** erbyn hyn yn gwisgo rhwyd bwydo adar am ei foncyff a dwedodd: 'Oeddech chi'n gwybod bod cnocell y cnau yn hedfan o'r goeden â'i phen i waered?'

Dwedodd **robin goch** oedd yn digwydd mynd heibio: 'Mae'n *rhaid* bod cnocell y cnau yn hollol ddwl!'

Ac meddai'r **tair cwningen fechan**: 'WWWWW Idwal! Ti a dy gelwydd golau.'

Ond meddai **Derwydd Dylluan**: ‘A dweud y gwir, mae hynny’n wir bob gair. *Mae* cnocell y cnau yn hedfan o’r goeden â’i phen i waered bob amser.’

5

UN MIN HWYR

Dwedodd **Idwal**: 'Newyddion Da! Mae Cerddorfa Pibau Idwal wedi cael gwahoddiad i chwarae ar Faes yr Eisteddfod Genedlaethol!'

Ac meddai'r **tair cwningen fechan**: 'WWWWW Idwal! Ti a dy gelwydd golau.'

Ac meddai **Derwydd Dylluan**:
'Celwydd bob gair. Mae Cerddorfa Pibau Idwal wedi cael gwahoddiad i chwarae yn y cae drws nesaf yn y Sgrechfod Cath-a-Chwrcath lle bydd gwichian a mewian a sgrechian ac ubain ofnadwy!'

Gofynnodd **Astrid May**: 'Beth yw'r Eisteddfod Genedlaethol?'

Atebodd **Mam-gu**: 'Dathliad arbennig o ganu ac actio a llefaru a dawnsio a barddoni a phaentio mewn cae yn rhywle yng Nghymru bob mis Awst. Fe awn ni'n dwy yno haf nesaf.'

Fedrwch chi weld y
gnocell fraith fwyaf yn pigo
ar foncyff Idwal?
Mae'n gwisgo trowsus byr coch
ac yn barod i chwarae dros
Gymru!

6

UN MIN HWYR

Dwedodd **Idwal**: “Wyddoch chi beth ydw i’n galw grŵp mawr o dyllunaod? ‘Gorsedd o Dylluanod’”.

Ac meddai’r **tair cwningen fechan**: ‘WWWWW Idwal! Mae’n *rhaid* mai stori gelwydd golau yw hynny!’

Meddai **Derwydd Dylluan**: 'A dweud y gwir, rydw i wrth fy modd gyda hynny. Gorsedd o Dylluanod! Go dda! Rydyn ni'n adar doeth a phwysig. Gallwn ni droi ein pen bron mewn cylch. Gallwn ni edrych dros ein hysgwydd ymhell iawn. Dydyn ni, dylluanod, ddim yn methu dim!'

7

UN MIN HWYR

Dwedodd **Idwal**: ‘Ddoe, hedfanodd Alwen yr Alarch i mewn o’i nyth ar y môr a glanio ar ein pwll bach ni. Roedd Iola, Iâr Fach y Dŵr, sydd mor aml yn unig, wrth ei bodd o gael ei chwmni.’

Roedd **mochyn daear** yn digwydd mynd heibio a dwedodd: ‘Mae Alwen yn edrych mor hardd ym min nos pan mae’n agor ei hadenydd gwyn.’

Ac meddai’r **tair cwningen fechan**: ‘WWWWW Idwal! Ti a dy gelwydd golau.’

Ac meddai **Derwydd Dylluan**:
'Celwydd bob gair. Mae'n deg dweud bod elyrch yn crwydro i'r môr, ond dydyn nhw ddim yn *nythu* ar y môr. Maen nhw'n nythu ar afonydd, llynoedd a nentydd. Nofiodd Alwen draw o Fairyhill, y gwesty hardd fan draw. Roedd hi yma mewn chwinciad, a daeth i chwarae yn ein pwll bach ni.'

8

UN MIN HWYR

Dwedodd **Idwal**: ‘Gwelais i Llŷr y Llyffant yn symud allan o’i dwll ger y nant neithiwr. Roedd e’n drist iawn. Roedd e wedi clywed pobl y felin yn dweud yn Saesneg, “Let’s have toad in the hole for lunch tomorrow”.’Ac mae Llŷr Llyffant yn gwybod mai’r gair Saesneg am llyffant yw TOAD!

Ac meddai’r **tair cwningen fach**: ‘WWWWW Idwal. Ti a dy gelwydd golau.’

Ac meddai **Derwydd Dylluan**: ‘Mae’r stori honno’n berffaith wir, ond does dim angen i Llŷr Llyffant boeni dim! Dyna yw’r enw Saesneg am bryd o fwyd gyda selsig mewn cytew. Does dim llyffant ar ei gyfyl!

9

UN MIN HWYR

Dwedodd **Idwal**: ‘Pan ddaeth Gemau Olympaidd Idwal i’r ardd ddoe, rhedodd Phil Ffesant y ras 100 medr ac ennill Cwpan y Fesen Aur!’

Ac meddai’r **tair cwningen fechan**: ‘WWWWW Idwal! Ti a dy gelwydd golau.’

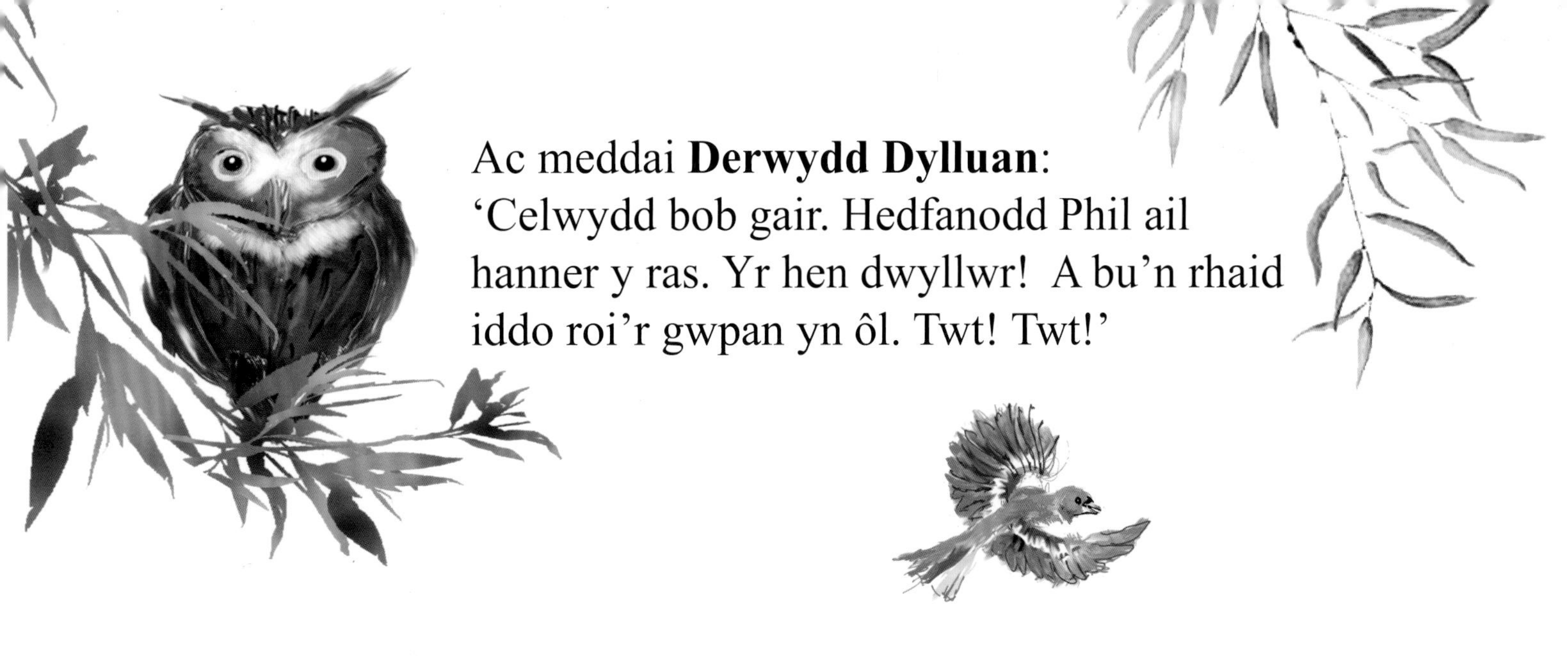

Ac meddai **Derwydd Dylluan**:
'Celwydd bob gair. Hedfanodd Phil ail hanner y ras. Yr hen dwyllwr! A bu'n rhaid iddo roi'r gwpan yn ôl. Twt! Twt!'

Gofynnodd **Astrid May**: 'Ond rwy wedi gweld ffesantod yn rhedeg pan mae ofn arnyn nhw. Pam?'

Atebodd ***Mam-gu***: 'Maen nhw mor drwm, mae hedfan yn eu blino nhw'n lân, ac weithiau mae rhedeg yn haws!'

10

UN MIN HWYR

Dwedodd **Idwal**: ‘Gwelais i gudyll glas brawychus yn disgyn i lawr ac yn dal bwncath yn ei grafangau miniog.’

Ac meddai’r **tair cwningen fechan**: ‘WWWWW Idwal! Ti a dy gelwydd golau.’

Ac meddai **Derwydd Dylluan**:
Celwydd bob gair. Rwyt ti'n ymestyn y stori'n ofnadwy Idwal! Daeth y cudyll glas a disgyn i lawr a dal Ji-binc fach yn ei grafangau. Ddaliodd e ddim Bwncath mawr!'

11

UN MIN HWYR

Dwedodd **Idwal**: ‘Dyw Phil Ffesant ddim yn cymryd ei fwyd o’r rhwyd-bwyd hwn. Mae e’n aros i’r adar bach llai fel y titw tomos las bigo ar y bwyd. Wedyn, mae’n cael llond ei fol o’r briwsion bach sy’n syrthio o big y titw i’r llawr.’

Ac meddai’r **tair cwningen fechan**:
‘WWWWW Idwal! Ti a dy gelwydd golau.’

Ac meddai **Derwydd Dylluan**: ‘Mae’r stori honno’n wir i gyd. Mae Phil Ffesant bob amser yn disgwyl i’r adar bach wneud y gwaith caled. Hen ddiogyn yw Phil!’

12

UN MIN HWYR

Dwedodd **Idwal**: 'Mae lleidr ar waith! Mae rhywun wedi dwyn bwyd Alwen Alarch. Mae Wili'r Wenci'n dditectif o fry ac mae e wedi dod o hyd i rywbeth sy'n swnio fel troed gŵydd binc yn ymyl y pwll, yn union yn y lle mae perchnogion y felin yn gadael bwyd i Alwen.

Ac meddai'r **tair cwningen fechan**: 'WWWWW Idwal! Ti a dy gelwydd golau.'

Ac meddai **Derwydd Dylluan**: ‘Wel nid gŵydd go iawn sydd wedi dwyn y bwyd. Enw ar blanhigyn drewllyd iawn yw gŵydd droed-binc. Mae’n drewi fel pysgod marw. A gyda llaw, maen nhw wedi dal y lleidr go iawn!’

13

UN MIN HWYR

Dwedodd **Idwal**: 'Welwch chi'r broga gwyrdd ar ymyl y pwll? Dechreuodd ei fywyd fel smotyn mewn blobyn o jeli du. O'r smotyn du daeth rhywbeth rhyfedd o'r enw penbwl yn gryndod i gyd. Ac o'r penbwl du daeth broga. Anhygoel!

Ac meddai'r **tair cwningen fechan**: 'WWWWW Idwal! Ti a dy gelwydd golau.'

Ac meddai **Derwydd Dylluan**: ‘Mae Idwal yn dweud y gwir. Anhygoel! Ond gwir! *Mae* penbyliaid yn dod yn frogaod!’

14

UN MIN HWYR

Dwedodd **Idwal**: 'Edrychwch ar y tair hwyaden ar y pwll. Dydyn nhw ddim yn symud. Mae enw arbennig arnyn nhw – *hwyaid-denu*.

Ddoe daeth pâr o hwyaid go iawn i ymuno gyda nhw. Doedden nhw ddim yn gallu deall pam nad oedd yr hwyaid-denu'n symud dim. Nac yn dweud 'cwac'. Nac yn nofio. Nac yn gwneud dim yw dim.'

Ac meddai'r **tair cwningen fechan**: 'WWWWW Idwal! Ti a dy gelwydd golau.'

Ac meddai **Derwydd Dylluan**: 'Chwarae teg i Idwal, mae'n dweud y gwir. Mae perchnogion y felin wedi dwlu ar hwyaid, ac maen nhw'n gobeithio y bydd yr hwyaid-denu yn denu hwyaid go iawn i aros... Mmmm, dim lwc hyd yn hyn!'

Ond dwedodd **Astrid May**: 'Falle rhyw ddiwrnod, Mam-gu…'

'Falle wir,' atebodd **Mam-gu**, gan wenu.

15

UN MIN HWYR

Dwedodd **Idwal** wrth fwncath oedd yn digwydd mynd heibio: 'Heddiw'r bore, yn gynnar, gynnar, gwelais i dair brân ddu yn clatsho yn erbyn ffenest yr hen felin. Rhaid eu bod nhw wedi deffro'r tŷ i gyd.'

Stopiodd y **tair cwningen** eu chwerthin a dweud: 'Clywson ni nhw hefyd. Maen nhw'n hen frain drwg!'

Meddai'r **bwncath**: 'Ie, hen adar digywilydd yw'r brain. Maen nhw'n creu trwbwl byth a hefyd. Beth am i ni wneud bwgan brain a'u dychryn nhw i ben draw'r byd?'

Meddai **Derwydd Dylluan**: 'Dyna syniad ardderchog! Beth am i ni fynd ati ar unwaith?'

UN MIN HWYR SAWL NOSON YN DDIWEDDARACH

Dwedodd **Idwal**: 'Edrychwch beth y'n ni wedi ei wneud gyda'n gilydd. Anrheg fach i ddiolch i berchnogion y felin am adael llonydd i ni gael byw yn yr ardd yn hapus. Gobeithio wir y bydd y brain yn gadael llonydd iddyn nhw nawr hefyd!'

Gofynnodd **Astrid May**: ‘Ydy’r bwgan yn mynd i godi ofn ar y brain go iawn?’

Atebodd **Mam-gu**: ‘Gobeithio wir’, ac ochneidiodd.

Ac o rywle, daeth llais **Tad-cu** gan ddweud: ‘Brensiach y brain!’

Am fwgan brawychus!

HWYL FAWR

'Hwyl fawr', meddai Idwal am nawr.

Os y'ch chi yn eich gwely, nos da a chysgwch yn dawel. Caewch eich llygaid a meddwliwch am Idwal a'i ffrindiau, Derwydd Dylluan, Phil, Guto, Alwen, Iola, Llyr, Wili a'r tair cwningen fechan.

A Mochyn Daear, Cudyll, Cnocell y Cnau, Robin Goch a Chnocell y Coed, a'r broga a'r hwyaid a'r …

Wwwps, a bu bron i mi anghofio Lleucu fach.

Rwy'n gwybod bod **Astrid May** wrth ei bodd yn gwrando ar straeon Idwal cyn mynd i gysgu.

Rwy'n gwybod hefyd y bydd hi'n darllen y llyfr hwn ar ei phen ei hun ryw ddiwrnod.

Rwy'n gwybod hefyd y bydd hi'n cysgu'n drwm cyn bo hir …

Cyhoeddwyd yn 2017 gan Peniarth.